Olivia, la fée des orchidées

Pour Laura Rouffiac qui aime les fées
(et les lapins!)

Un merci spécial à Narinder Dhami

Catalogage avant publication de
Bibliothèque et Archives Canada

Meadows, Daisy
Olivia, la fée des orchidées / Daisy Meadows ;
illustrations de Georgie Ripper ; texte français d'Isabelle Montagnier.

(L'arc-en-ciel magique. Les fées des fleurs ; 5)
Traduction de: Olivia the orchid fairy.

Pour les 7-10 ans.
ISBN 978-1-4431-1850-7

I. Ripper, Georgie II. Montagnier, Isabelle III. Titre. IV. Collection:
Meadows, Daisy. Arc-en-ciel magique. Les fées des fleurs ; 5.

PZ23.M454Oli 2012   j823'.92   C2011-907744-2

Édition publiée par les Éditions Scholastic,
604, rue King Ouest, Toronto (Ontario) M5V 1E1

5 4 3 2 1   Imprimé au Canada 116   12 13 14 15 16

MIXTE
Papier issu de
sources responsables
FSC® C011825
FSC
www.fsc.org

Olivia, la fée des orchidées

Daisy Meadows

Texte français d'Isabelle Montagnier

Éditions
■SCHOLASTIC

Le palais
du Royaume
des fées

Le Manoir
aux cerisiers

Le Jardin des fées

Le village de
Tremble-Feuille

Le pavillon des visiteurs

Le château de glace du Bonhomme d'Hiver

Le lac de la Belle-Rive

L'aire de pique-nique

Le parc

Le magasin Foison de fleurs

Grande rue de Fleuronville

Les jardins des chutes de l'arc-en-ciel

Les floralies du château

Pour que les jardins de mon palais glacé
soient parés de massifs colorés,
j'ai envoyé mes habiles serviteurs
voler les pétales magiques des fées des fleurs.

Contre elles, les gnomes pourront utiliser
ma baguette magique aux éclairs givrés
afin de me rapporter
tous ces beaux pétales parfumés.

TABLE DES MATIÈRES

Allées et venues

— Bienvenue aux jardins des chutes de l'arc-en-ciel, dit le préposé à l'entrée en tendant un plan des jardins et six billets. Passez une bonne journée!

Karine Taillon sourit à son amie Rachel Vallée. Les parents des fillettes remercient le préposé et prennent les billets. Puis les deux familles se dirigent vers le grand portail en

fer forgé qui donne accès aux jardins. Les
Taillon et les Vallée passent le congé de
mars ensemble. Jusqu'à présent, ces
vacances ont été absolument magiques pour
les fillettes qui espèrent que la journée
d'aujourd'hui sera tout aussi passionnante.

Après avoir franchi le portail, les fillettes
se retrouvent devant une grande pelouse
bordée d'arbres à une extrémité. Elles
sentent les chauds rayons du soleil sur leur
visage et entendent les oiseaux chanter.

— Voyons un peu, dit
M. Vallée en ouvrant la
carte. Où devrions-nous
aller en premier?

Rachel, Karine et
M. Vallée regardent la
carte. Il y a un jardin
d'orchidées, un arboretum
et, bien sûr, les célèbres
chutes de l'arc-en-ciel.

— J'aimerais bien voir les chutes en
premier, dit Rachel avec enthousiasme.

— Ah! dit M. Vallée, j'allais plutôt
proposer d'aller à l'arboretum.

— Qu'est-ce qu'un arboretum? demande
Karine.

— C'est un parc rempli de beaux arbres
et arbustes, explique son père en venant
jeter un coup d'œil à la carte, lui aussi.

Wouf! aboie Bouton, le chien des Vallée en tirant sur sa laisse.

— On dirait que Bouton veut voir l'arboretum, plaisante Mme Vallée.

— Je préfèrerais aller voir les chutes. Pourrions-nous aller aux chutes et vous rejoindre à l'arboretum après? demande Karine à ses parents.

— Je n'y vois pas d'objection, dit M. Taillon.

— Nous vous retrouverons dans une heure à l'entrée de l'arboretum, dit Mme Taillon aux fillettes.

Puis elle fronce les sourcils en examinant un massif de fleurs tout proche.

— J'espère que les arbres de l'arboretum sont plus vigoureux que ces fleurs,

dit-elle. Regardez, la
moitié d'entre elles sont
fanées ou sèches!

Rachel et Karine
échangent un regard.
Elles savent exactement
pourquoi les fleurs ne sont
pas aussi belles qu'elles le devraient.

Leurs parents ignorent qu'elles sont amies
avec les fées. En fait, les fillettes ont souvent
aidé les fées à se sortir de situations difficiles.
Cette fois-ci, Rachel et Karine viennent à
la rescousse des fées des fleurs qui ont perdu
leurs pétales magiques. Grâce à ces pétales,
les fleurs du Royaume des fées et du monde
des humains poussent et s'épanouissent.
Alors tant que les pétales seront perdus, les
fleurs du monde entier se faneront et
mourront!

— J'espère que nous trouverons un autre

pétale aujourd'hui, murmure Karine à Rachel. Ces fleurs ont vraiment besoin de la magie des fées!

— Absolument, approuve Rachel.

Les fées ont montré aux fillettes comment le Bonhomme d'Hiver a envoyé ses gnomes voler les sept pétales magiques au Royaume des fées. Il voulait les pétales afin de pouvoir faire pousser des fleurs dans les jardins gelés de son château de glace. Mais quand sa magie glacée est entrée en collision avec le sort jeté par les fées des fleurs pour récupérer leurs pétales, une énorme explosion magique s'est produite et les pétales ont été propulsés dans le monde des humains.

Karine et Rachel ont déjà aidé les fées des fleurs à retrouver le pétale de tulipe, le pétale de coquelicot, le pétale de nénuphar

et le pétale de tournesol, mais il manque
encore trois pétales. Les fillettes savent que
les gnomes du Bonhomme d'Hiver sont à la
recherche de ces pétales, eux aussi.

— Bon, alors à tout à l'heure, les filles,
lance la mère de Rachel en souriant.
Amusez-vous bien!

Les quatre adultes partent en direction de
l'arboretum, Bouton gambadant devant
eux joyeusement. Quant à Rachel et
Karine, elles prennent le sentier qui mène
aux chutes de l'arc-en-ciel.

Arrivées au croisement du chemin qui
conduit au jardin des
orchidées, Karine
entend un ricanement.

— As-tu entendu? chuchote-t-elle à Rachel. On dirait un gnome.

Rachel hoche la tête.

— Jetons un coup d'œil au jardin des orchidées, répond-elle à voix basse.

Les fillettes suivent le chemin du jardin des orchidées à pas de loup. Elles regardent attentivement autour d'elles. La présence des gnomes n'augure rien de bon. De plus, ils sont armés de la baguette magique du Bonhomme d'Hiver et ils sont donc

beaucoup plus puissants que d'habitude.

Le petit jardin des orchidées est calme et les fillettes ne voient rien d'autre que de magnifiques orchidées colorées fleurissant de partout : des jaunes, des mauves, des roses et des orange remplissent le moindre recoin. Certaines poussent même sur des souches d'arbres et des rondins!

— Oh là là! s'émerveille Karine. Ces fleurs sont superbes!

E

Rachel prend un air songeur.

— Presque trop belles, fait-elle remarquer à voix basse. Comme le pétale d'orchidée a été volé, elles devraient toutes être fanées.

Karine approuve d'un signe de tête.

— Le pétale d'orchidée ne doit pas être loin. C'est la seule chose qui peut rendre ces orchidées si colorées et vigoureuses.

Les fillettes savent que chacun des sept pétales magiques aide un certain type de fleurs à bien pousser. Le pétale d'orchidée magique fait fleurir les orchidées du monde entier, mais c'est aussi grâce à lui que toutes les fleurs mauves et bleues s'épanouissent et gardent leurs couleurs. Soudain, Karine écarquille les yeux : quelque chose a bougé parmi les orchidées! Elle donne un coup de coude nerveux à Rachel en voyant un éclair vert bien connu.

— C'est un gnome! siffle-t-elle entre ses dents.

Les gnomes gâchent tout

— Regarde, il y en a un autre ici, murmure Rachel en montrant un deuxième gnome de l'autre côté du jardin. Et deux autres là-bas!

— Ils doivent chercher le pétale d'orchidée, dit Karine.

— Eh bien, nous aussi, déclare Rachel. Nous devons le trouver avant eux!

Les deux fillettes s'accroupissent et commencent à fouiller les massifs de fleurs dans l'espoir de trouver le pétale magique d'orchidée avant que les gnomes ne les remarquent. Peu de temps après, elles entendent le cri triomphant d'un gnome :

— Je l'ai! Je l'ai!

Elles lèvent les yeux et voient un gnome tout près. Il saute de joie et agite à bout de bras un pétale bleu et mauve.

— Le pétale d'orchidée! grogne Karine
alors que le gnome se précipite vers ses
amis.

Les deux fillettes se relèvent d'un bond.
Le gnome traverse le jardin en courant. Il
essaie de sauter par-dessus une plate-bande
surélevée, mais il trébuche et atterrit dans
une flaque de boue.

Rachel saisit la main de Karine.

— Viens! lance-t-elle. Essayons de lui reprendre le pétale!

Les fillettes se ruent vers le gnome, se postent devant lui et le regardent de haut.

— Les fées seront très fâchées contre toi si tu ne leur rends pas le pétale, le prévient Karine. En fait, Olivia, la fée des orchidées est sûrement déjà en route!

Le gnome s'assoit et enlève la boue
qui le recouvre. Puis il leur
tire la langue.

— Je m'en
moque! insiste-t-il
en serrant le pétale
contre lui.

À ce moment-là, l'air
semble scintiller autour d'eux
et une fée minuscule apparaît.

— Olivia! s'écrie Rachel en souriant.

Olivia, la fée des orchidées, volette dans
les airs. Ses cheveux noirs et brillants sont
retenus en une queue de cheval et elle porte
une robe violette à manches flottantes avec
une large ceinture jaune.

— Bonjour, les filles, dit-elle d'une voix
chantante. Je vois que vous avez trouvé
mon pétale.

Le gnome qui tient le pétale se relève et
fait un pas en arrière.

— Oh oh! murmure-t-il nerveusement.

Puis il aperçoit ses amis de l'autre côté du
jardin.

— Hé! leur crie-t-il. À l'aide!

Six gnomes se précipitent vers lui. Karine

remarque que l'un d'entre eux, un gnome aux pieds particulièrement grands, tient la baguette magique.

— Le pétale d'orchidée m'appartient, dit Olivia. Rendez-le-moi, s'il vous plaît.

Le gnome à la baguette la menace :

— Si tu t'approches, la fée, je te transforme en glaçon. Courez! ordonne-t-il à ses amis, qui se mettent à détaler.

Puis il fait une grimace et dit d'un air méchant :

— Vous ne reverrez jamais ce pétale. Jamais!

Sur ces mots, il lâche un rire narquois et sort du jardin en courant à toutes jambes.

Multitude d'arcs-en-ciel

— Vite! Poursuivons-les! crie Karine en se précipitant sur le chemin, suivie de près par Rachel.

Olivia fonce dans les airs à leurs côtés.

— Ce sera plus rapide si nous volons toutes, dit-elle.

Elle pointe sa baguette vers les fillettes. Un tourbillon de poussière magique mauve

et bleue entoure Karine et Rachel et les
transforme instantanément en fées.

Rachel agite joyeusement ses
ailes étincelantes

— Merci, Olivia, dit-
elle. Maintenant,
rattrapons ces
gnomes!

Les trois amies
fendent les airs sur
les traces des
affreux gnomes
verts. Elles les ont
presque rejoints
quand, au détour du
chemin, un spectacle
grandiose s'offre à leurs
yeux. Rachel et Karine en
ont le souffle coupé : elles se
trouvent devant les chutes de l'arc-en-ciel.

L'eau jaillit du haut de grands
rochers et tombe dans un
bassin profond juste aux
pieds des gnomes. Les
gouttelettes d'eau en
suspension créent
des arcs-en-ciel
qui miroitent
et dansent
dans
les airs
au-dessus
des roches
mouillées
du bassin.
Émerveillées,
les fillettes
papillonnent pour
admirer le paysage.
Partout autour des chutes, des

panneaux interdisent de grimper sur les
rochers glissants. Les gnomes les ignorent
totalement et, un par un, ils commencent à
sauter sur les rochers les plus proches.

— Ils ne vont pas aller dans le bassin,
n'est-ce pas? dit Karine, surprise. Les
gnomes détestent se mouiller les pieds!

— Ils utilisent les roches comme un
passage à gué, explique Rachel.

— Ils vont se sauver avec le pétale!
soupire Olivia. Allez,
suivons-les!

Les trois fées
volettent
derrière les
gnomes.

— Vous
savez, tous ces

petits arcs-en-ciel me rappellent ceux que
nous utilisions pour nous rendre au
Royaume des fées, dit Karine.

Elle sourit en pensant subitement à
quelque chose.

— Je crois que j'ai trouvé ce qui pourrait
arrêter les gnomes! chuchote-
t-elle à ses amies. Jouez
le jeu, d'accord?

Rachel et
Olivia hochent
la tête, l'air
interrogateur.

Karine leur fait un
clin d'œil complice,
puis dit très fort :

— C'est une chance
que les gnomes soient venus
aux chutes de l'arc-en-ciel! Pensez-vous

qu'ils ont remarqué que ces petits arcs-en-
ciel sont comme les passerelles magiques
que le roi et la reine utilisent pour faire
venir les gens au palais
du Royaume des
fées?

Rachel
s'efforce de ne
pas sourire
quand elle saisit
la stratégie de son
son amie :
Karine essaie de
tromper les gnomes!

Olivia semble avoir compris le
stratagème elle aussi, car elle approuve
bruyamment :

— Oui, ils sont exactement comme les
passerelles en forme d'arcs-en-ciel qui vous
emmènent directement chez le roi et la

reine des fées si vous mettez le pied dessus.
Cette magie est puissante!

Rachel donne un petit coup de coude
joyeux à Karine. Il est évident que les
gnomes ont entendu les paroles des fillettes,
car ils sont maintenant très nerveux, tous
juchés sur la même roche. Ils marmonnent
anxieusement, car ils craignent de se
retrouver propulsés au Royaume des fées et
de devoir rendre des comptes au roi et à la
reine.

Un arc-en-ciel se forme au-dessus de la
tête d'un gnome et il s'en écarte vivement.

— Non, je ne veux pas aller au
Royaume des fées! s'écrie-t-il.

Un deuxième arc-en-ciel apparaît près
du gnome qui tient le pétale d'orchidée.

— Moi non plus! Pas question! glapit-il
en bondissant sur une autre roche.

Puis le gnome à la baguette pousse un cri
perçant quand un arc-en-ciel surgit devant
son visage.

— Aaah! Je n'aime pas ça du tout! gémit-il.

Karine et Rachel échangent un regard.

— Ils sont si nerveux qu'ils ne pensent plus du tout au pétale, murmure Karine.

— C'est une excellente occasion pour essayer de le leur reprendre, suggère Rachel.

— Bonne idée, approuve Olivia. Si nous fonçons sur eux toutes les trois en même temps, nous pouvons les surprendre et récupérer mon pétale.

— Essayons, dit Karine d'un ton déterminé. Un, deux, trois... EN AVANT!

Chutes de glace

Les trois fées foncent sur les gnomes. Malheureusement, ceux-ci les voient arriver.

— Oh non! Pas question! crie l'un d'entre eux en éclaboussant les fillettes.

Karine évite les gouttes d'eau, mais Rachel n'est pas assez rapide et l'eau alourdit ses ailes. Elle les secoue et doit

reculer en les agitant pour tenter de les faire
sécher.

En ricanant, les gnomes continuent
d'asperger les fées jusqu'à ce que toutes trois
soient obligées de s'éloigner.

— C'est ça, partez! se moque le gnome à
la baguette, les mains sur les hanches.

Soudain, il fait un bond : un autre arc-
en-ciel vient d'apparaître à côté de son
coude.

— Ces arcs-en-ciel sont nuls! Ils me tapent vraiment sur les nerfs! râle-t-il.

Le gnome qui tient le pétale prend un air songeur.

— Qu'est-ce qui prouve que ces arcs-en-ciel sont bels et bien magiques en fin de compte? dit-il. Et si ces fées essayaient de nous tromper comme elles l'ont fait avec le pétale de tournesol hier?

Karine et Rachel échangent un regard paniqué. Est-ce que les gnomes vont se rendre compte que les arcs-en-ciel sont totalement inoffensifs?

— Si tu penses que c'est une ruse, pourquoi n'essaies-tu donc pas de marcher dans un arc-en-ciel? le met au défi un gnome maigrichon.

— Pourquoi moi? réplique le gnome au pétale. Tu peux bien essayer, toi!

Sur ce, il pousse le gnome maigrichon vers l'arc-en-ciel le plus près.

— Nooon! crie le gnome maigrichon.

Il traverse l'arc-en-ciel et tombe à l'eau dans une gerbe d'éclaboussures.

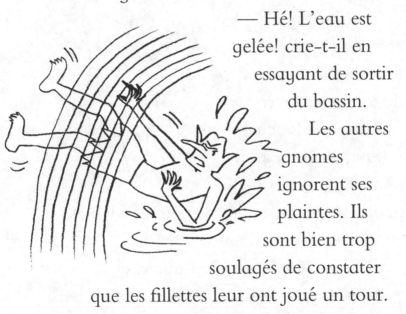

— Hé! L'eau est gelée! crie-t-il en essayant de sortir du bassin.

Les autres gnomes ignorent ses plaintes. Ils sont bien trop soulagés de constater que les fillettes leur ont joué un tour.

— Ces arcs-en-ciel ne sont pas magiques
du tout! crie l'un d'entre eux, l'air
victorieux.

Le gnome à la baguette aide le gnome
maigrichon à sortir de l'eau, puis il jette un
regard mauvais aux fées.

— Il est temps de donner une bonne
leçon à ces chipies, une fois pour toutes,
déclare-t-il.

Il pointe sa
baguette vers
elles.

— Avec ce
sort, je vous
change en
glace. Adieu,
les fées qui nous
agacent! crie-t-il.

— Vite! crie Rachel. Fuyez!

Trois éclairs de glace jaillissent de la baguette du gnome et se dirigent vers les fillettes et Olivia. Le cœur battant, Karine et Rachel s'éloignent en trombe de la magie glacée, Olivia à leurs côtés.

Les éclairs de glace les manquent de peu, mais frappent les chutes de l'arc-en-ciel.

Karine, Rachel et Olivia s'arrêtent et

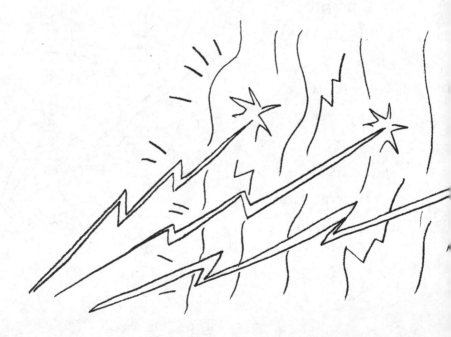

regardent avec stupéfaction les chutes et le bassin se transformer en glace. Tout de suite, le grondement de l'eau cesse.

— Oh là là! s'exclame Karine. C'est magnifique!

Même les gnomes semblent émerveillés par les chutes gelées. La magie a figé instantanément chaque gouttelette. Même les gerbes d'eau sont gelées dans les airs

comme des diamants scintillants.

L'un des gnomes rompt le silence d'un cri.

— Hé! Nous pouvons traverser le bassin maintenant!

Rachel baisse les yeux et voit que les gnomes glissent et dérapent sur la glace.

— Ils s'en vont derrière les chutes, dit-elle. Suivons-les.

Les trois fées volettent à la suite des gnomes qui se faufilent dans une grotte glacée située derrière les chutes. Karine, Rachel et Olivia descendent et les suivent dans

la grotte. Elles doivent faire des écarts pour
éviter les glaçons brillants suspendus au
plafond.

— Où sont-ils? Quelle direction ont-ils
prise? demande Rachel.

Elle regarde dans tous les coins, mais ne
voit aucun gnome. L'eau a gelé en prenant
des formes bizarres. On dirait des sculptures

en cristal. Les rayons du soleil les traversent
et les font resplendir d'une vive
lumière blanche.

— C'est superbe, dit
Karine en écarquillant
les yeux. On dirait
un monde de glace
magique.

Rachel hoche
la tête.

— C'est
comme un
Royaume des
fées glacé, dit-elle
avec admiration.
Un monde scintillant
de mille éclats. Mais je
ne vois pas un seul gnome
à la ronde.

— Il faut les chercher, dit Olivia. Ils doivent bien être quelque part.

Les trois amies voltigent dans la grotte en cherchant les gnomes derrière chaque glaçon. Des couloirs partent dans toutes les directions.

— Il y a tellement de recoins dans lesquels ils pourraient se cacher, soupire Karine. C'est un vrai labyrinthe!

À ce moment-là, Rachel pousse un petit cri.

— Regardez, il y a une fleur ici! lance-t-elle.

Elle montre le mur glacé à sa gauche.

Karine et Olivia s'approchent et voient une belle orchidée mauve vif qui pousse dans la glace.

— Seul mon pétale peut faire ça, dit
Olivia, enthousiaste. Il faut beaucoup de
temps, d'amour et de soins pour faire
pousser une aussi grande orchidée.

Le visage de Karine s'illumine de joie.
Elle montre à ses amies une autre orchidée
orange qui pousse un peu plus loin sur le
mur de la grotte.

— C'est une piste de fleurs! crie-t-elle.
Les gnomes ont dû passer par là!

Suivez les fleurs!

Les trois amies empruntent le passage en suivant la piste des orchidées. Puis Olivia s'élance devant Karine et Rachel et leur fait signe de s'arrêter.

— J'entends les murmures des gnomes devant nous, dit-elle à voix basse. Il ne faut pas qu'ils nous voient, sinon ils essaieront encore de nous transformer en glaçons!

Rachel et Karine hochent la tête. Elles n'ont pas du tout envie d'être gelées comme les chutes.

Les trois fées volent un peu plus loin, Olivia en tête. Elles arrivent bientôt à l'entrée d'une petite grotte recouverte de glace. Cachée derrière un bloc de glace, Rachel jette prudemment un coup d'œil aux alentours. Dans la grotte, sous une rangée de glaçons, elle aperçoit les gnomes blottis les uns contre les autres.

— On gè-gè-gèle ici, dit l'un d'entre eux en claquant des dents.

— Il fait encore plus froid que dans le château de glace du Bonhomme d'Hiver, renchérit un autre qui croise ses bras sur sa poitrine pour essayer de se réchauffer.

Seul, le gnome au pétale ne se soucie pas du froid. Il s'amuse à traîner le pétale magique le long des murs glacés et fait apparaître de nouvelles orchidées un peu partout.

Ploc! Une gouttelette d'eau tombe d'un glaçon et atterrit sur la tête d'un gnome.

— Hé! Qui fait dégouliner de l'eau sur moi? se plaint-il.

— Silence! Les fées vont t'entendre, rétorque un autre gnome.

— Personne ne t'arrose, dit un troisième gnome. Ne sois pas ridicule!

— Olivia, pourrais-tu nous redonner notre taille humaine? chuchote Karine tandis que les gnomes continuent de se chamailler. Je crois que ça nous donnera une meilleure chance de récupérer le pétale.

— Bien sûr, dit Olivia en agitant sa

baguette au-dessus des fillettes.

Un jet de poussière magique mauve et bleue s'échappe de l'extrémité de la baguette et flotte tout autour de Karine et de Rachel.

Rachel, maintenant redevenue une fillette, frissonne. Immobile, elle a plus froid que quand elle agitait ses ailes. Elle se met à claquer des dents. Heureusement, avant que les gnomes ne l'entendent, deux d'entre eux se mettent à protester, car ils reçoivent des gouttes d'eau.

— La magie commence à se dissiper, constate Karine en regardant l'eau couler des glaçons. La glace fond rapidement!

Ploc! Ploc! Ploc!

— Qui a eu l'idée de venir ici pour se reposer? se plaint le gnome à la baguette.

Il se met à glapir quand de l'eau glacée lui coule dans le dos.

— Sortons d'ici! s'exclame-t-il.

Rachel et Karine se plantent devant les gnomes qui s'apprêtent à quitter la grotte.

— Vous n'irez nulle part tant que vous
ne nous aurez pas rendu le pétale magique,
dit courageusement
Rachel.

Tous les gnomes
secouent la tête.

— Il n'est pas
question que nous
retournions chez
le Bonhomme
d'Hiver sans ce
pétale, répond le
gnome à la baguette.
Nous le gardons, un point c'est
tout!

— Avez-vous remarqué que l'effet du
sort commence à s'estomper? leur fait
remarquer Karine. Vous ne pouvez pas
rester ici. Bientôt les chutes vont se remettre
à couler!

— Et nous sommes en plein milieu,
ajoute Rachel. Quand la glace sera fondue,
nous serons coincés ici entre ces roches et
l'eau passera par-dessus nos têtes!

Elle frissonne à cette pensée et espère que
les gnomes se rendent compte de la gravité
de la situation.

Ploc! Ploc! Ploc! Ploc!

Les gnomes jettent un regard nerveux
autour d'eux tandis que les gouttes d'eau
continuent à tomber de plus en plus
vite.

— Laissez-nous sortir!
crie le gnome
maigrichon en
essayant
d'écarter les
fillettes.

— Donnez-
nous le pétale

d'abord! réplique Rachel qui ne lâche pas pied.

Le gnome muni de la baguette la pointe vers les fillettes d'un air menaçant, mais Olivia émet un petit rire musical :

— Ton sort n'a pas très bien marché la dernière fois, n'est-ce pas? lui rappelle-t-elle.

— Elle a raison, marmonne le gnome maigrichon en repoussant la baguette de son ami. Plus de magie!

Les gouttelettes se sont maintenant transformées en petits filets d'eau qui trempent les gnomes.

— Grrr! s'exclament-ils en essayant de

se protéger la tête avec leurs mains.

Karine et Rachel se font mouiller elles aussi.

— Il ne nous reste plus beaucoup de temps, dit Karine en regardant l'eau s'écouler des murs de la grotte. La glace fond rapidement!

— Vous n'avez pas envie de vous retrouver au milieu des chutes d'eau, n'est-ce pas? demande Rachel.

— Non! pleurnichent les gnomes. Laissez-nous sortir!

Rachel secoue la tête fermement tandis que la glace fondue commence à tomber comme de la pluie.

Frustré et effrayé, le gnome qui tient le pétale le met dans les mains de Rachel, puis la bouscule pour passer.

— Nous renonçons. Vous avez gagné! gémit-il en se précipitant vers la sortie.

— Sortons d'ici! s'écrie un autre gnome.

Et les six gnomes restants s'élancent derrière leur ami.

Olivia rayonne de joie en voyant son pétale dans les mains de Rachel.

— Bon travail, les filles! leur crie-t-elle avec gratitude.

À l'aide de sa baguette, elle redonne au pétale la taille qu'il avait au Royaume des fées.

— La glace fond très vite, dit Karine. Je crois que nous devrions partir d'ici.

Rachel hoche la tête, puis pousse une exclamation quand un pan entier de glace se détache du plafond.

— Il ne nous reste plus que quelques secondes, lance-t-elle. Courez!

Profusion de fleurs

— Nous allons voler, ça ira plus vite! dit Olivia en agitant sa baguette au-dessus des fillettes.

Karine, qui était en train de glisser et de déraper sur le sol détrempé, se sent soudain légère comme une plume avec ses ailes de fée chatoyantes.

— Merci Olivia! Maintenant, allons-y! crie-t-elle avec gratitude.

Les trois amies s'élancent et sortent à toute allure de derrière les chutes gelées qui sont en train de fondre. Quand elles se retournent pour regarder par-dessus leur épaule, elles entendent un violent craquement et voient la glace qui emprisonnait le haut des chutes s'effondrer. Libérée, l'eau recommence à jaillir en cascade jusque dans le bassin en dessous.

— On l'a échappé belle! murmure Karine tandis que le grondement de la cascade résonne dans la vallée. Merci Olivia, je n'ai jamais été aussi contente d'avoir des ailes de fée!

Rachel sourit et s'écrie :

— Regardez les gnomes!

Les fées observent les gnomes maussades. Ils se dirigent vers la forêt.

Olivia contemple gaiement son pétale d'orchidée.

— Merci mille fois, les filles. Je ne l'aurais jamais récupéré sans vous. Maintenant, je vais le ramener au Royaume des fées où il a sa place. Une fois là-bas, j'utiliserai sa magie pour aider toutes les orchidées et autres fleurs bleues et mauves à pousser et à s'épanouir, dit-elle.

Karine consulte sa montre.

— Il est l'heure de rejoindre nos parents, dit-elle. Je parie qu'ils ne se sont pas autant amusés que nous!

— Si vous voulez, je peux vous donner un petit coup de

pouce magique, propose Olivia. Vous reprendrez votre taille humaine en arrivant là-bas.

— Oh! Merci! s'exclame Rachel qui adore la magie des fées.

Olivia serre les fillettes dans ses bras, puis elle agite sa baguette au-dessus d'elles.

Immédiatement, elles sont entourées d'une poussière magique scintillante bleue et mauve. Quand le nuage de poussière se dissipe, elles constatent qu'elles sont de retour à l'entrée de l'arboretum où elles sont censées rencontrer leurs parents.

Alors que les dernières étincelles disparaissent aux pieds des fillettes, Karine aperçoit sa mère et son père qui viennent tranquillement à leur rencontre.

— Juste à temps! murmure-t-elle à Rachel.

Celle-ci rit et salue ses parents.

— Bonjour! Comment était l'arboretum? demande-t-elle en se penchant

pour caresser Bouton qui bondit joyeusement vers elle.

M. Vallée semble déçu.

— Ma foi, ce n'était pas aussi bien que je l'espérais, répond-il.

Je croyais que les lilas seraient
en fleur, mais non, pas
du tout.

Rachel regarde
Karine. Elle devine
que c'est à cause du
pétale d'orchidée.
Heureusement, Olivia
sera bientôt de retour
au Royaume des fées,
et toutes les fleurs bleues
et mauves, dont les lilas,
recommenceront à s'épanouir.

— Par contre, nous avons trouvé un joli
petit café où nous pouvons aller dîner, dit
Mme Taillon. Il est dans l'arboretum.

— Bonne idée, approuve Karine en
souriant. Je meurs de faim!

Les deux familles commencent à traverser l'arboretum en direction du restaurant. Rachel et Karine remarquent alors quelques lilas en fleur et une plante grimpante mauve qui recouvre un vieux mur de briques.

— Regardez! Les lilas sont en fleur ici! s'étonne M. Taillon.

M. Vallée montre la plante grimpante sur le mur.

— Et ces fleurs sont magnifiques, ajoute-t-il. Comment se fait-il que nous ne les ayons pas remarquées plus tôt?

Rachel et Karine échangent un sourire tout en marchant. Le pétale d'orchidée d'Olivia est déjà à l'œuvre et donne de merveilleux résultats!

— Bravo pour le pétale magique! chuchote Rachel.

Karine hoche la tête et sourit.

— Nous avons déjà aidé à renvoyer cinq pétales magiques au Royaume des fées, dit-elle joyeusement. J'espère que nous trouverons les deux autres avant la fin des vacances.

Rachel lui rend son sourire. Il ne fait aucun doute que les deux fillettes vont faire leur possible pour les retrouver.

L'ARC-EN-CIEL
magique

LES FÉES DES FLEURS

Olivia, la fée des orchidées, a récupéré son pétale magique. Maintenant, Rachel et Karine doivent aider

Mélanie,
la fée des
marguerites!

Voici un aperçu de leur prochaine aventure!

Un message mystérieux

— Oh! dit Rachel Vallée à bout de souffle en gravissant la colline escarpée. Je n'en peux plus.

— Moi aussi, dit Karine Taillon, la meilleure amie de Rachel. Même Bouton semble un peu fatigué et tu sais comme il est toujours plein d'énergie.

Bouton, le chien ébouriffé des Vallée,

trotte aux côtés de Rachel, sa langue rose
pendante.

— La vue en vaut la peine, les filles,
lance le père de Rachel qui marche derrière
elles en compagnie de sa femme et des
parents de Karine.

Il tapote un grand panier à pique-nique
en osier et ajoute :

— Le pique-nique sera fabuleux aussi.

Quelques instants plus tard, Rachel et
Karine atteignent le sommet de la colline.
Elles poussent des cris de joie en regardant
tout autour d'elles.

— Vu d'ici, le village de Fleuronville a
presque la taille du Royaume des fées,
chuchote Rachel à son amie.

Karine rit. Toutes deux en savent plus
long sur les fées que nul autre au monde.
Les fées sont leurs grandes amies et les deux
fillettes sont allées de nombreuses fois au

Royaume des fées.

— Cet endroit est très joli, dit Mme Vallée. J'espère que cette longue marche vous a ouvert l'appétit.

Rachel et Karine hochent vivement la tête. M. Taillon ouvre le panier à pique-nique et commence à distribuer des sandwichs emballés et des sachets de croustilles.

Tout en finissant ses croustilles, Karine contemple un petit ruisseau qui descend la colline et court vers un bosquet. *Je me demande jusqu'où il va*, pense-t-elle.

Soudain, à sa grande surprise, elle voit un magnifique nuage de poussière magique argentée s'élever des arbres.

Karine manque de s'étouffer avec le dernier morceau de son sandwich! Des étincelles argentées flottent dans les airs et commencent à se diriger vers elle.

LE ROYAUME DES FÉES
N'EST JAMAIS TRÈS LOIN!

Dans la même collection

Déjà parus :

LES FÉES DES
PIERRES PRÉCIEUSES

India, *la fée des pierres*
de lune
Scarlett, *la fée des rubis*
Émilie, *la fée des émeraudes*
Chloé, *la fée des topazes*
Annie, *la fée des améthystes*
Sophie, *la fée des saphirs*
Lucie, *la fée des diamants*

LES FÉES DES ANIMAUX

Kim, *la fée des chatons*
Bella, *la fée des lapins*
Gabi, *la fée des cochons d'Inde*
Laura, *la fée des chiots*
Hélène, *la fée des hamsters*
Millie, *la fée des poissons*
rouges
Patricia, *la fée des poneys*

LES FÉES DES
JOURS DE LA SEMAINE

Lina, *la fée du lundi*
Mia, *la fée du mardi*
Maude, *la fée du mercredi*
Julia, *la fée du jeudi*
Valérie, *la fée du vendredi*
Suzie, *la fée du samedi*
Daphné, *la fée du dimanche*

LES FÉES DES FLEURS

Téa, *la fée des tulipes*
Claire, *la fée des coquelicots*
Noémie, *la fée des nénuphars*
Talia, *la fée des tournesols*
Olivia, *la fée des orchidées*

À paraître :

Mélanie, *la fée des*
marguerites
Rébecca, *la fée des roses*